山海经

高山 编著

（第五册）

光明日报出版社

耕父

【经文】

《中次十一经》：丰山，神耕父处之，常游清泠之渊，出入有光，见则其国为败。

明·蒋应镐绘图本

清《神异典》

清·汪绂图本

鸩

【经文】

《中次十一经》：瑶碧之山，有鸟焉，其状如雉，恒食蜚，名曰鸩。

明·蒋应镐绘图本

清·四川成或因绘图本

清·汪绂图本

婴勺

【经文】

《中次十一经》：攻离之山，有鸟焉，其名曰婴勺，其状如鹊，赤目、赤喙、白身，其尾若勺，其鸣自呼。

清·四川成或因绘图本

清·汪绂图本

明·蒋应镐绘图本

清《禽虫典》

青耕

【经文】

《中次十一经》：堇理之山，有鸟焉，其状如鹊，青身白喙，白目白尾，名曰青耕，可以御疫，其鸣自叫。

明 · 胡文焕图本

清 · 汪绂图本

獜

【经文】

《中次十一经》：依轱之山，有兽焉，其状如犬，虎爪有甲，其名曰獜，善驶坌（音央奋，yāng fèn），食者不风。

清·四川成或因绘图本

明·蒋应镐绘图本

猙

清·汪绂图本

清《禽虫典》

三足鳖

【经文】

《中次十一经》：从山，从水出于其上，潜于其下，其中多三足鳖，枝尾，食之无蛊疾（原作疫，袁珂从王念孙校改）。

清 · 汪绂图本

狭

【经文】

《中次十一经》：乐马之山，有兽焉，其状如彙，赤如丹火，其名曰狭，见则其国大疫。

清《禽虫典》

颉

【经文】

《中次十一经》：葴山，视水出焉，东南流注于汝水，其中多人鱼，多蛟，多颉。

清 · 汪绂图本

狙如

【经文】

《中次十一经》：倚帝之山，其上多玉，其下多金。有兽焉，其状如鼣鼠，白耳白喙，名曰狙如，见则其国有大兵。

明 · 蒋应镐绘图本

清·汪绂图本

清《禽虫典》

狰即

【经文】

《中次十一经》：鲜山，有兽焉，其状如膜犬，赤喙、赤目、白尾，见则其邑有火，名曰狰即。

明·蒋应镐绘图本

移即

清·汪绂图本

清《禽虫典》

梁渠

【经文】

《中次十一经》: 历(或作磨)石之山, 有兽焉, 其状如狸, 而白首虎爪, 名曰梁渠, 见则其国有大兵。

明·蒋应镐绘图本

清·四川成或因绘图本

清《禽虫典》

明·胡文焕图本

清·汪绂图本

䳜鵌

【经文】

《中次十一经》：丑阳之山，有鸟焉，其状如乌而赤足，名曰䳜鵌，可以御火。

明·胡文焕图本

清《禽虫典》

清·汪绂图本

闻獜

【经文】

《中次十一经》：几山，有兽焉，其状如彘，黄身、白头、白尾，名曰闻獜，见则天下大风。

明 · 胡文焕图本

清《禽虫典》

日本图本

清·汪绂图本

彘身人首神

【经文】

《中次十一经》：凡荆山之首，自翼望之山至于几山，凡四十八山，三千七百三十二里。其神状皆彘身人首。

清·汪绂图本

于儿

【经文】

《中次十二经》：夫夫之山，其上多黄金，其下多青、雄黄，神于儿居之，其状人身而身操两蛇，常游于江渊，出入有光。

明 · 蒋应镐绘图本

明·胡文焕图本

清《神异典》

清·汪绂图本

清·四川成或因绘图本〔原图有残〕

帝二女

【经文】

《中次十二经》：洞庭之山，其上多黄金，其下多银铁。帝之二女居之，是常游于江渊。澧沅之风，交潇湘之渊，是在九江之间，出入必以飘风暴雨。

明·蒋应镐绘图本

清·四川成或因绘图本

清・汪绂图本

洞庭怪神

【经文】

《中次十二经》：洞庭之山，帝二女居之，是常游于江渊。澧沅之风，交潇湘之渊，是在九江之间，出入必以飘风暴雨。是多怪神，状如人而载蛇，左右手操蛇。

清·汪绂图本

清《神异典》

蛫

【经文】

《中次十二经》：即公之山，有兽焉，其状如龟，而白身赤首，名曰蛫，是可以御火。

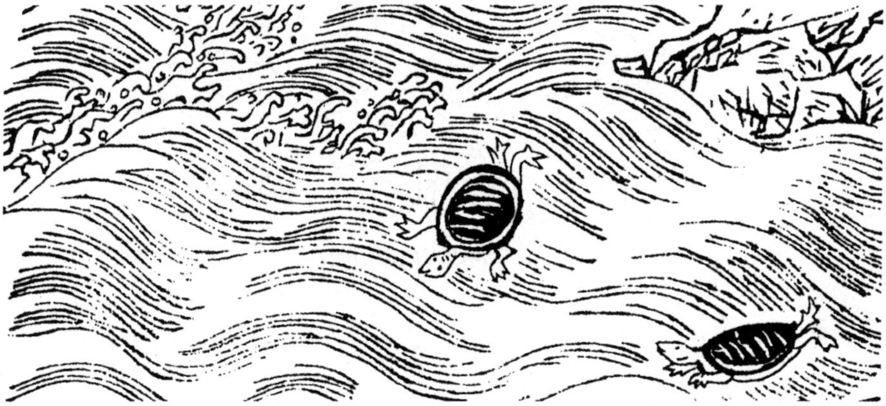

明·蒋应镐绘图本

清·四川成或因绘图本

蛫

清·汪绂图本

清《禽虫典》

飞蛇

【经文】

《中次十二经》：柴桑之山，其上多银，其下多碧，多白蛇、飞蛇。

清·汪绂图本

清《禽虫典》

鸟身龙首神

【经文】

《中次十二经》：凡洞庭山之首，自篇遇之山至于荣余之山，凡十五山，二千八百里。其神状皆鸟身而龙首。

清·汪绂图本

第六卷　海外南经

结匈国

【经文】

《海外南经》：结匈国在其西南，其为人结匈。

明·蒋应镐绘图本

清·四川成或因绘图本

清《边裔典》

羽民国

【经文】

《海外南经》：羽民国在其东南，其为人长头，身生羽。一曰在比翼鸟东南，其为人长颊。

明·蒋应镐绘图本

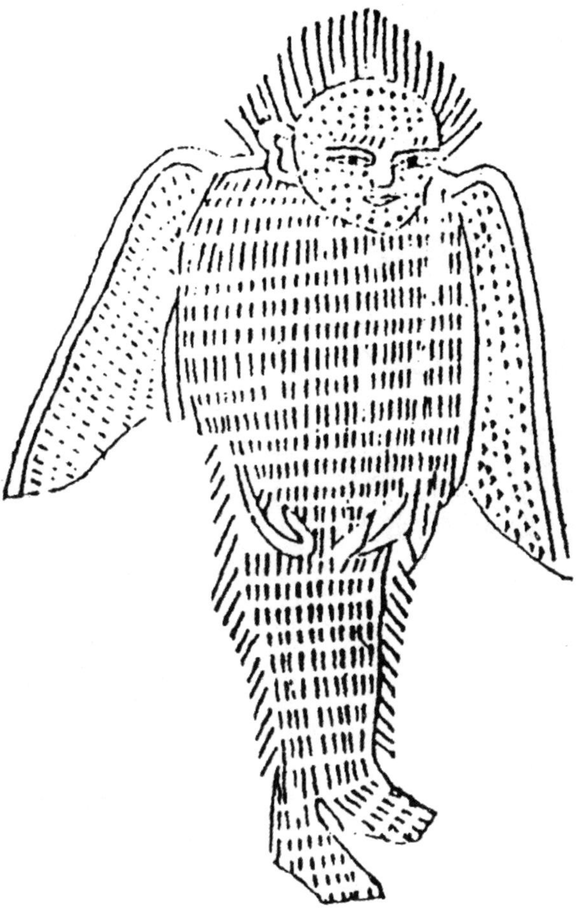

清·吴任臣近文堂图本

清·四川成或因绘图本

羽民國

清·汪绂图本

清《边裔典》

上海锦章图本

讙头国

【经文】

《海外南经》：讙头国在其南，其为人人面有翼，鸟喙，方捕鱼。一曰在毕方东。或曰讙朱国。

明·蒋应镐绘图本

明・蒋应镐绘图本

清・吴任臣康熙图本

清·吴任臣近文堂图本

清·四川成或因绘图本

上海锦章图本

清·汪绂图本

清《边裔典》

厌火国

【经文】

《海外南经》：厌火国在其南，其为人兽身黑色，火出其口中。一曰在讙朱东。

明·蒋应镐绘图本

清·四川成或因绘图本

清·汪绂图本

明·胡文焕图本

清《边裔典》

臷国

【经文】

《海外南经》：臷国在其东，其为人黄，能操弓射蛇。一曰臷国在三毛东。

清《边裔典》

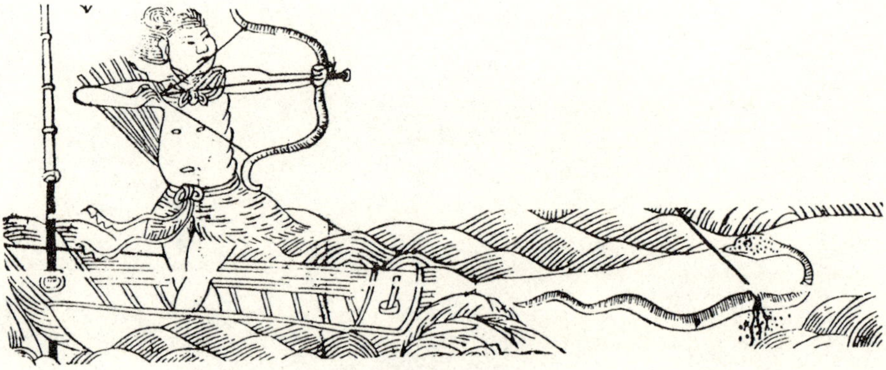

清·四川成或因绘图本

明·蒋应镐绘图本

贯匈国

【经文】

《海外南经》：贯匈国在其东，其为人匈有窍。一曰在载国东。

清・四川成或因绘图本

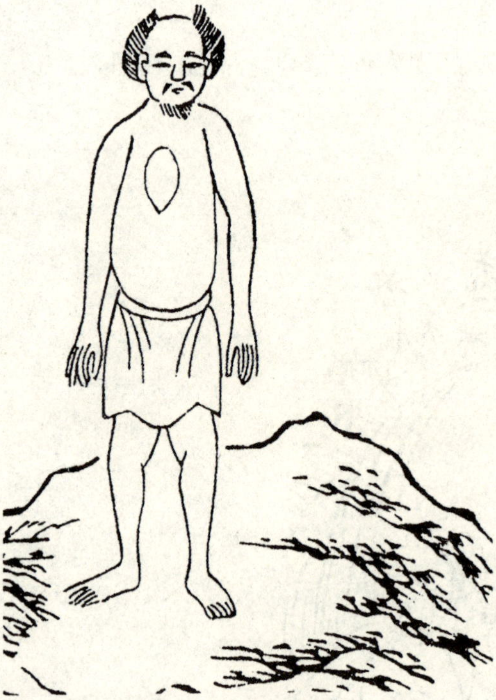

明·蒋应镐绘图本

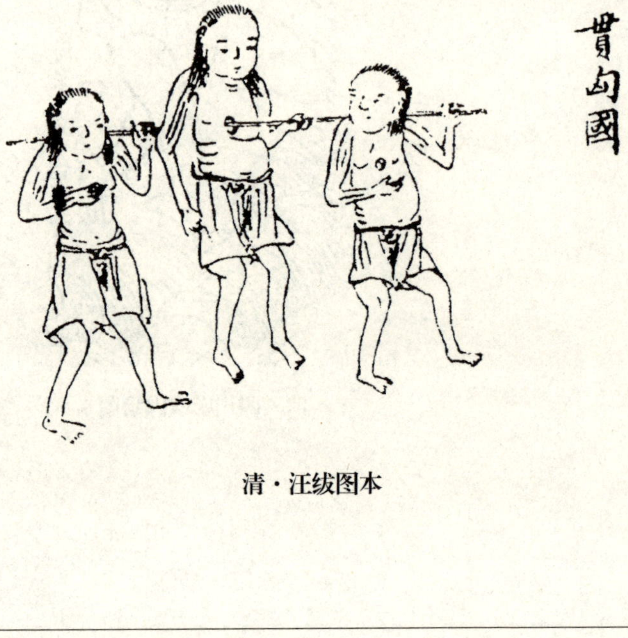

清·汪绂图本

清·吴任臣近文堂图本

清·四川成或因绘图本

交胫国

【经文】

《海外南经》：交胫国在其东，其为人交胫。一曰在穿匈东。

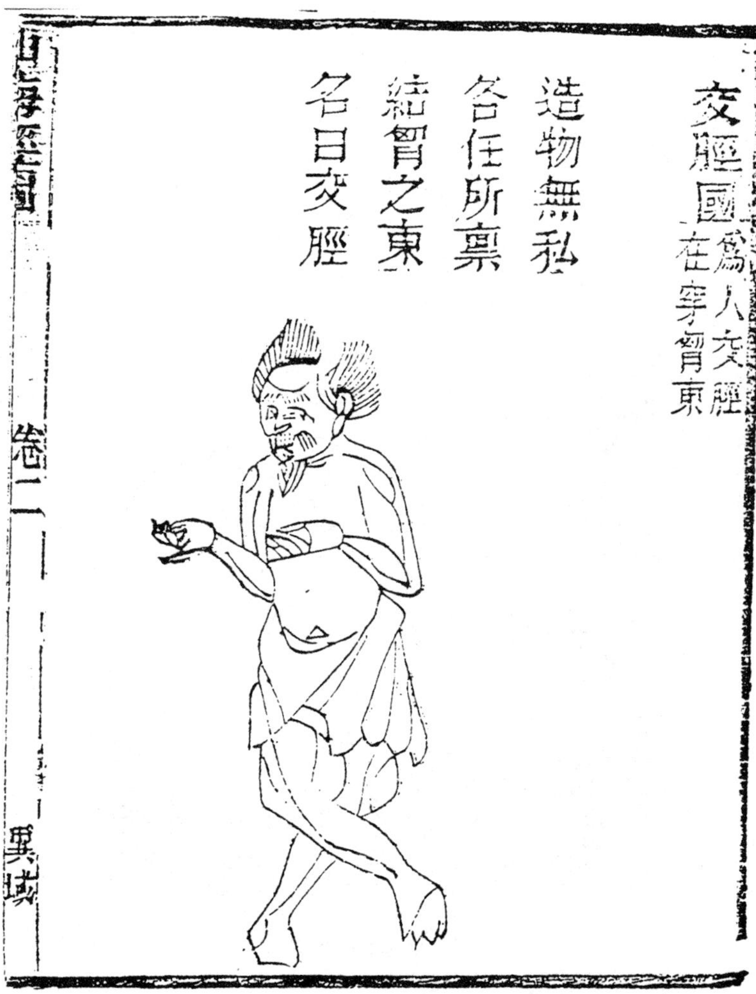

清·毕沅图本

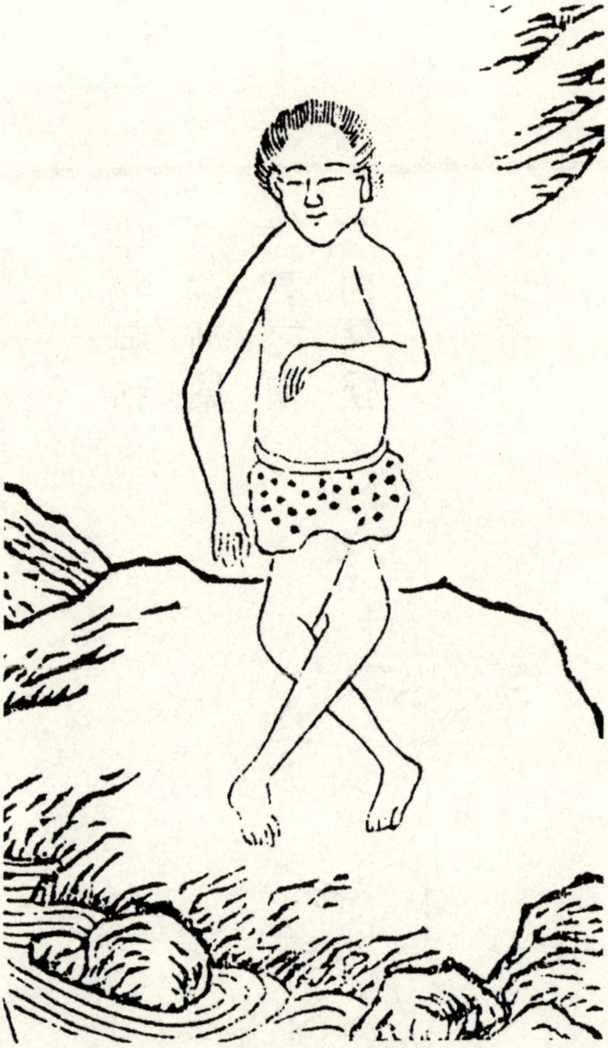

明·蒋应镐绘图本

清・四川成或因绘图本

清·汪绂图本

清《边裔典》

不死民

【经文】

《海外南经》：不死民在其东，其为人黑色，寿，不死。一曰在穿匈国东。

清《边裔典》

明·蒋应镐绘图本

清·四川成或因绘图本

反舌国

【经文】

《海外南经》：反舌国在其东。一曰在不死民东。

明 · 蒋应镐绘图本

清《边裔典》

三首国

【经文】

《海外南经》：三首国在其东，其为人一身三首。一曰在凿齿东。

明·蒋应镐绘图本

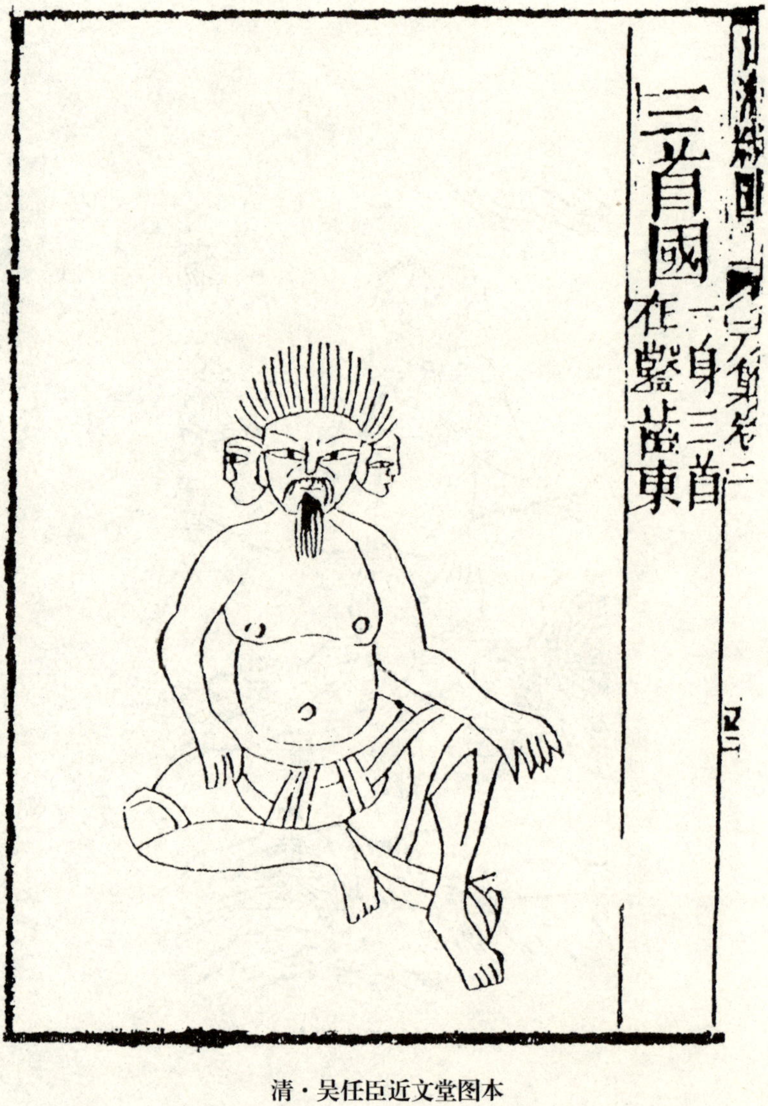

清・吴任臣近文堂图本

清·汪绂图本

清《边裔典》

清·四川成或因绘图本

周饶国

【经文】

《海外南经》：周饶国在其东，其为人短小，冠带。一曰焦侥国在三首东。

明·蒋应镐绘图本

清·四川成或因绘图本

长臂国

【经文】

《海外南经》：长臂国在其东，捕鱼水中，两手各操一鱼。一曰在焦侥东，捕鱼海中。

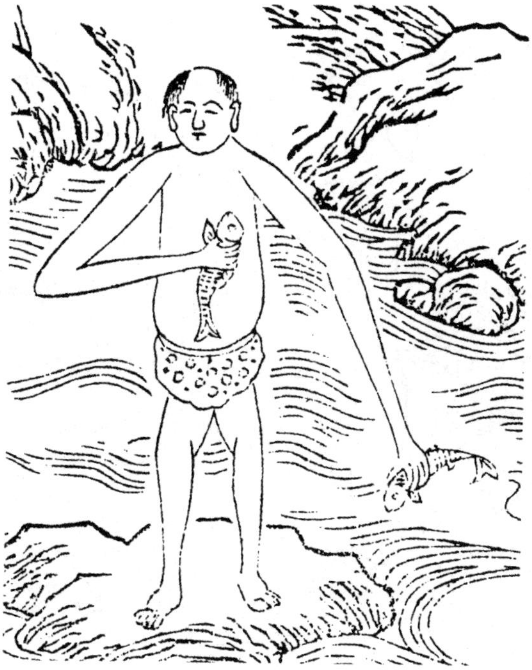

明·蒋应镐绘图本

清・四川成或因绘图本

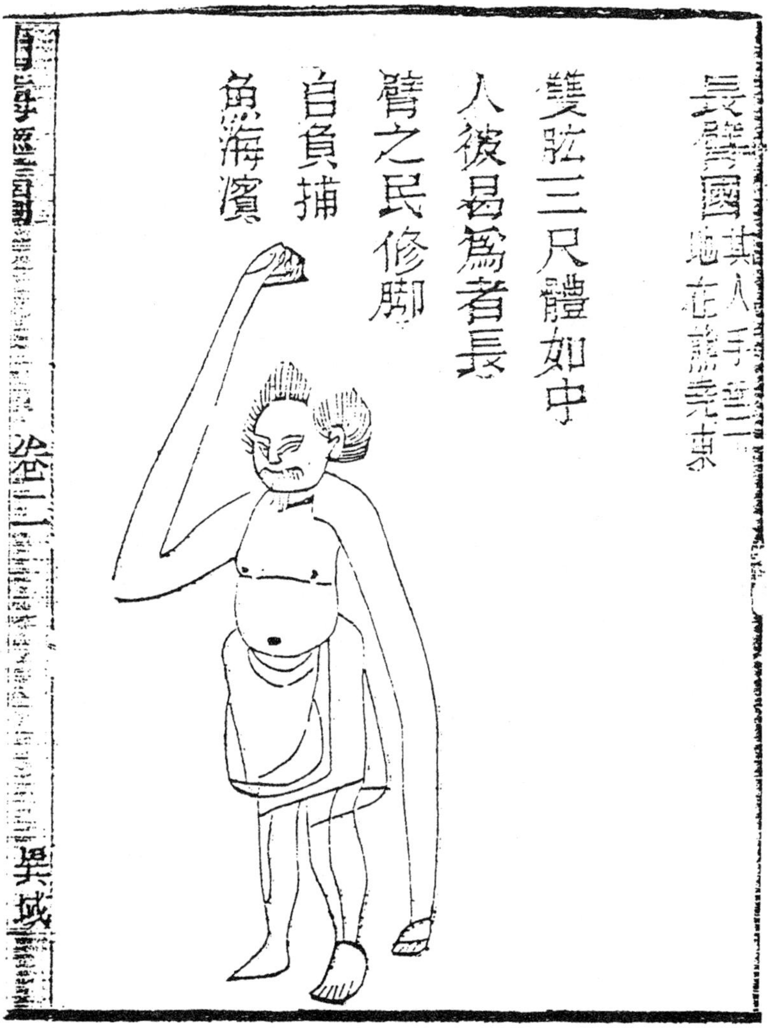

清・毕沅图本

清·汪绂图本

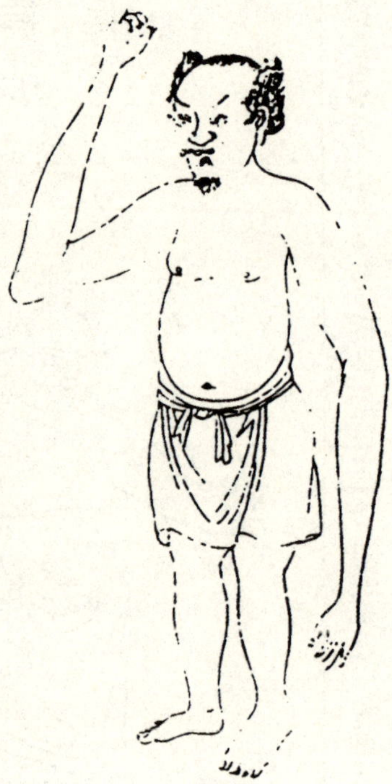

清《边裔典》

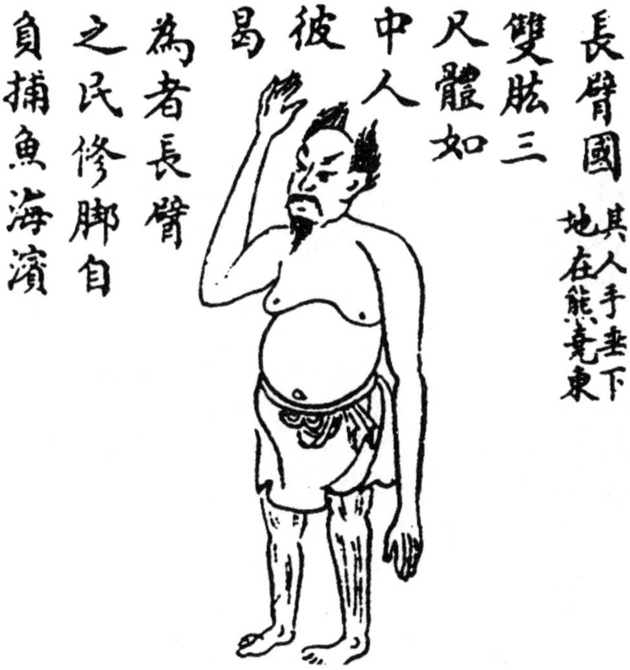

上海锦章图本

祝融

【经文】

《海外南经》：南方祝融，兽身人面，乘两龙。

清·四川成或因绘图本

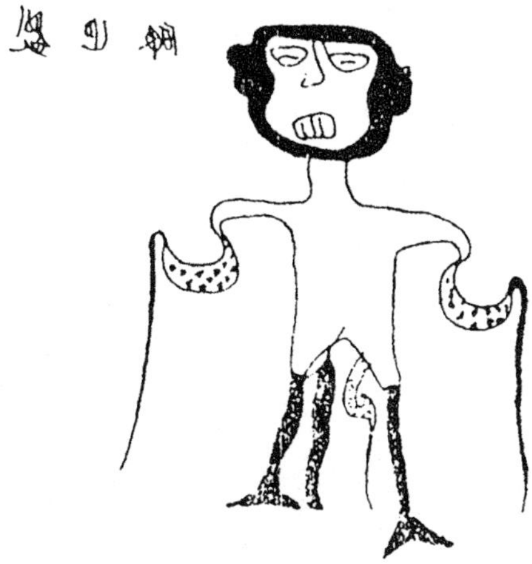

楚帛书十二月神图

清・汪绂图本

明·蒋应镐绘图本

第七卷　海外西经

夏后启

【经文】

《海外西经》：大运山高三百仞，在灭蒙鸟北。大乐之野，夏后启于此儛《九代》；乘两龙，云盖三层。左手操翳，右手操环，佩玉璜。在大运山北。一曰大遗之野。

清·四川成或因绘图本

明·蒋应镐绘图本

三身国

【经文】

《海外西经》：三身国在夏后启北，一首而三身。

明·蒋应镐绘图本

明·蒋应镐绘图本

清・四川成或因绘图本

清・四川成或因绘图本

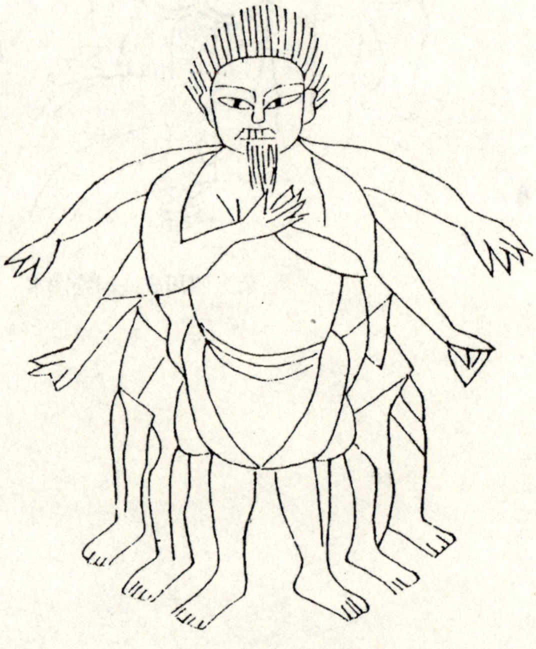

清・吴任臣近文堂图本

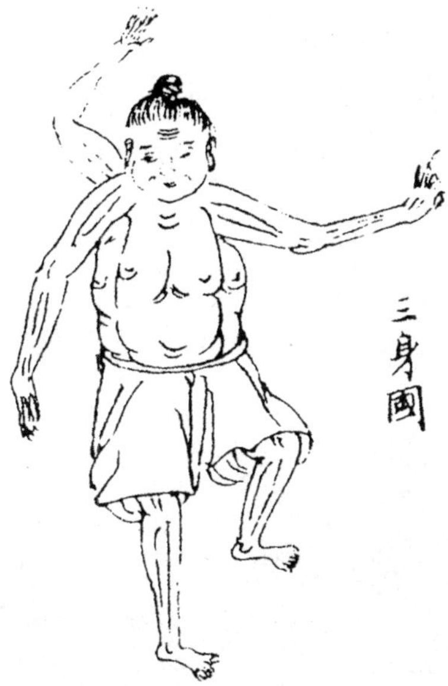

清·汪绂图本

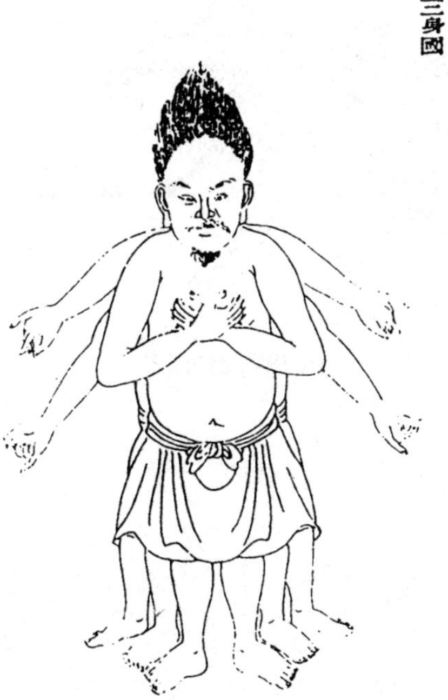

清《边裔典》

一臂国

【经文】

《海外西经》：一臂国在其北，一臂一目一鼻孔。有黄马，虎文，一目而一手。

明·蒋应镐绘图本

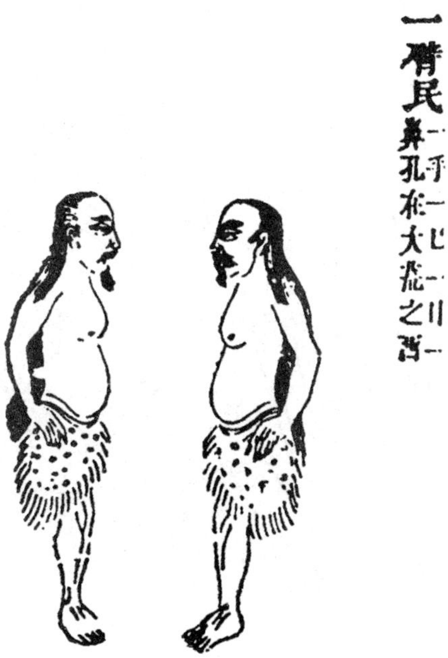

清·吴任臣康熙图本

清·汪绂图本

清·四川成或因绘图本

奇肱国

【经文】

《海外西经》：奇肱之国在其北，其人一臂三目，有阴有阳，乘文马。有鸟焉，两头，赤黄色，在其旁。

明·蒋应镐绘图本

清·四川成或因绘图本

清·吴任臣近文堂图本

清·汪绂图本

刑天

【经文】

《海外西经》：刑天与帝争神，帝断其首，葬之常羊之山，乃以乳为目，以脐为口，操干戚以舞。

明·蒋应镐绘图本

清《神异典》

清・吴任臣康熙图本

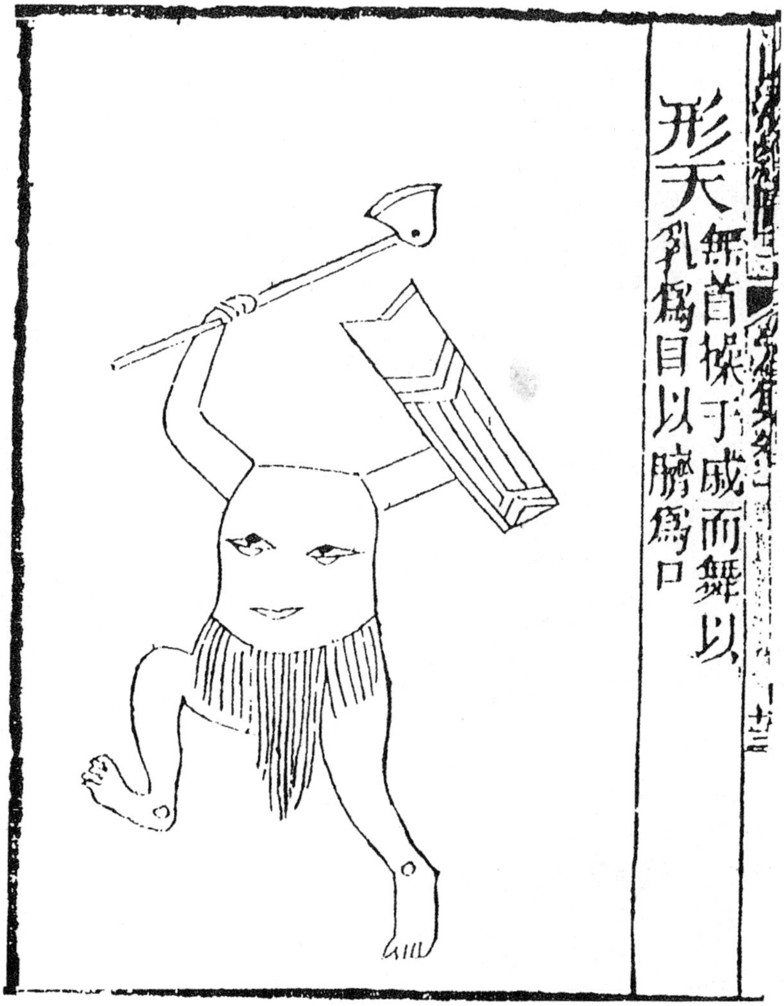

清·吴任臣近文堂图本

清·四川成或因绘图本

清·汪绂图本

鹠鸾鸟

【经文】

《海外西经》：鸾鸟鹠鸟，其色青黄，所经国亡。在女祭北，鸾鸟人面，居山上。

清《禽虫典》

丈夫国

【经文】

《海外西经》：丈夫国在维鸟北，其为人衣冠带剑。

明·蒋应镐绘图本

清《边裔典》

清·四川成或因绘图本

女丑尸

【经文】

《海外西经》：女丑之尸，生而十日炙杀之。在丈夫北。以右手鄣其面。十日居上，女丑居山之上。

明·蒋应镐绘图本《大荒西经》图

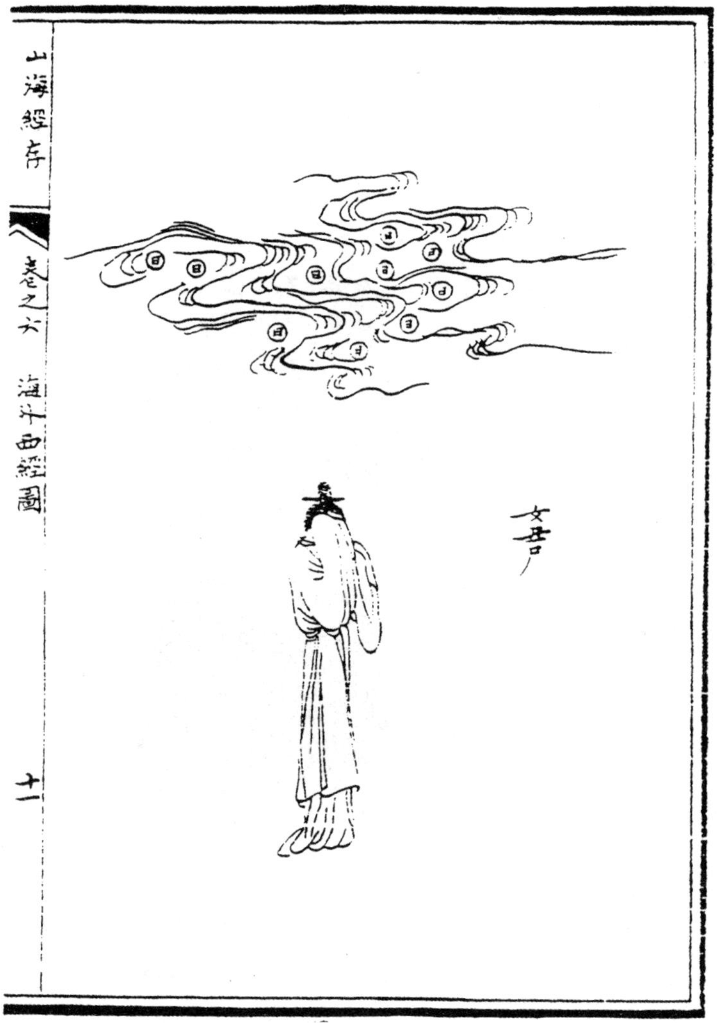

清 · 汪绂图本

巫咸国

【经文】

《海外西经》：巫咸国在女丑北，右手操青蛇，左手操赤蛇，在登葆山，群巫所从上下也。

清《边裔典》

并封

【经文】

《海外西经》：并封在巫咸东，其状如彘，前后皆有首，黑。

明·蒋应镐绘图本

清·四川成或因绘图本

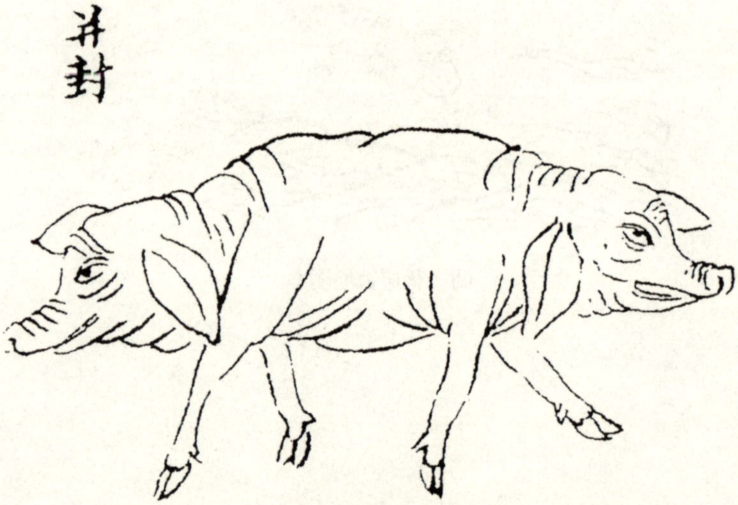

清·汪绂图本

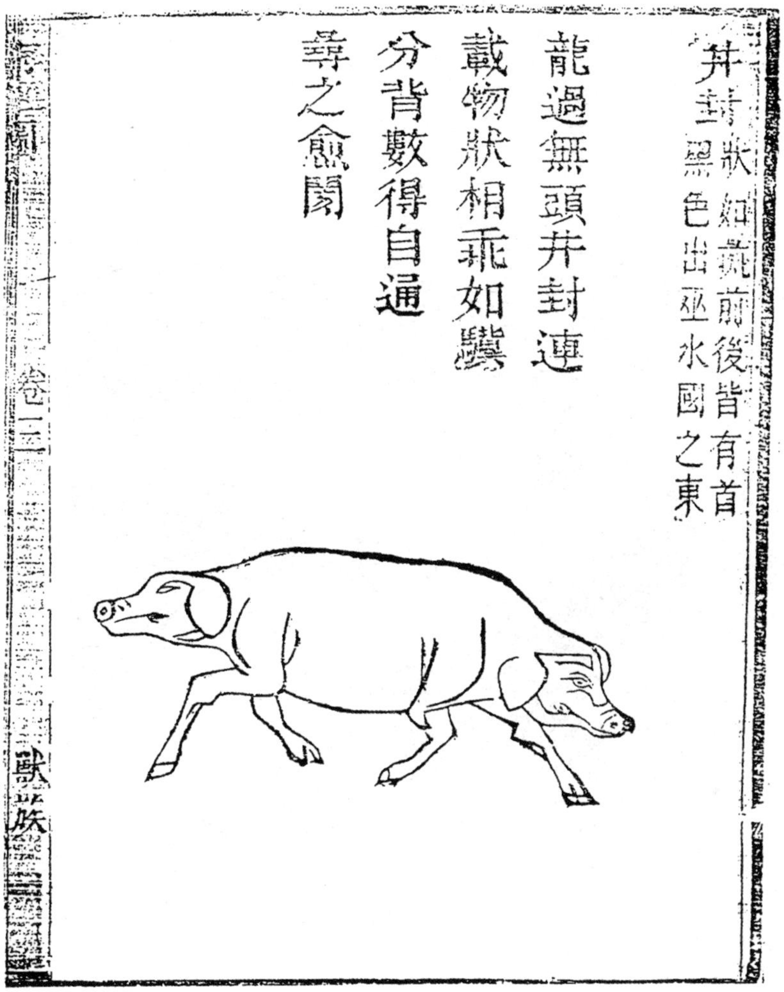

清・毕沅图本

清《禽虫典》

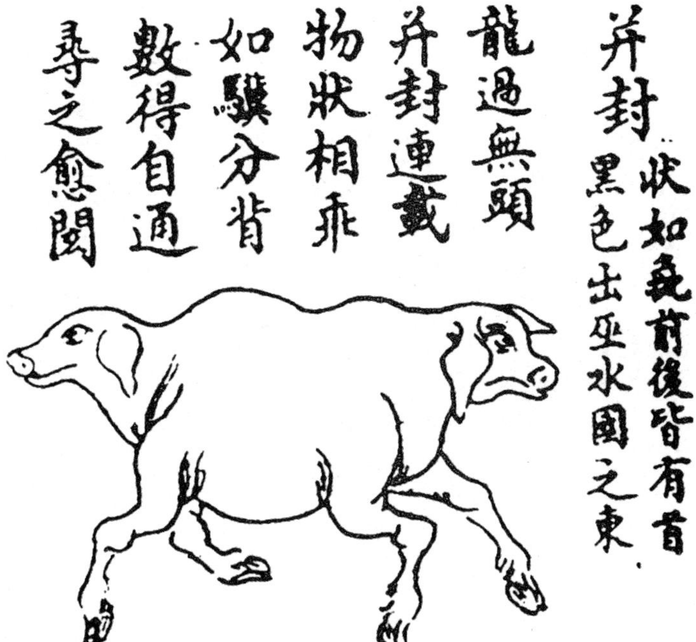

上海锦章图本

女子国

【经文】

《海外西经》：女子国在巫咸北，两女子居，水周之。一曰居一门中。

明·蒋应镐绘图本

清《边裔典》

清《边裔典》

清·四川成或因绘图本（画面中沐浴中的女子和岸上站立的女子为女人国）

轩辕国

【经文】

《海外西经》：轩辕之国在穷山之际，其不寿者八百岁。在女子国北。人面蛇身，尾交首上。

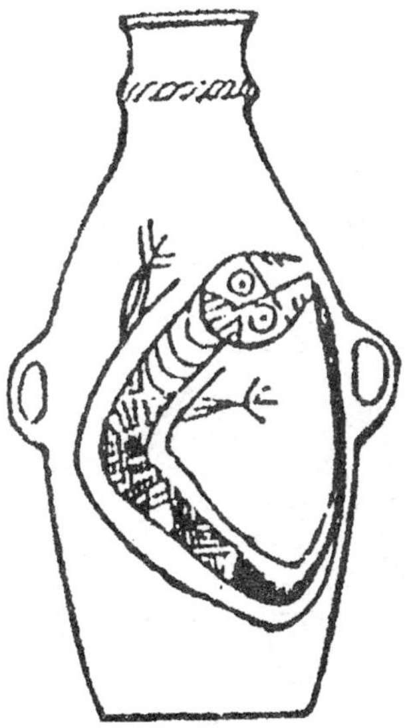

尾交首上的人面鲵鱼纹彩陶瓶 仰韶文化甘肃出土

清·汪绂图本

明·蒋应镐绘图本

清·四川成或因绘图本

龙鱼

【经文】

《海外西经》：龙鱼陵居在其北，状如鲤。一曰鰕。即有神圣（汪绂本与《后汉书》引均作“有神巫”）乘此以行九野。一曰鳖鱼，在沃野北，其为鱼也如鲤。

清《禽虫典》

清·汪绂图本

乘黄

【经文】

《海外西经》：白民之国，在龙鱼北，白身披发。有乘黄，其状如狐，其背上有角，乘之寿二千岁。

清·汪绂图本

清·吴任臣近文堂图本

清·四川成或因绘图本

日本图本

明·蒋应镐绘图本

明·胡文焕图本

清・毕沅图本

清《禽虫典》

上海锦章图本

肃慎国

【经文】

《海外西经》：肃慎之国在白民北，有树名曰雒棠，先人伐帝，于此取衣。

明·蒋应镐绘图本

长股国

【经文】

《海外西经》：长股之国在雒棠北，被发。一曰长脚。

明·蒋应镐绘图本

明·蒋应镐绘图本《大荒西经》图

清・四川成或因绘图本

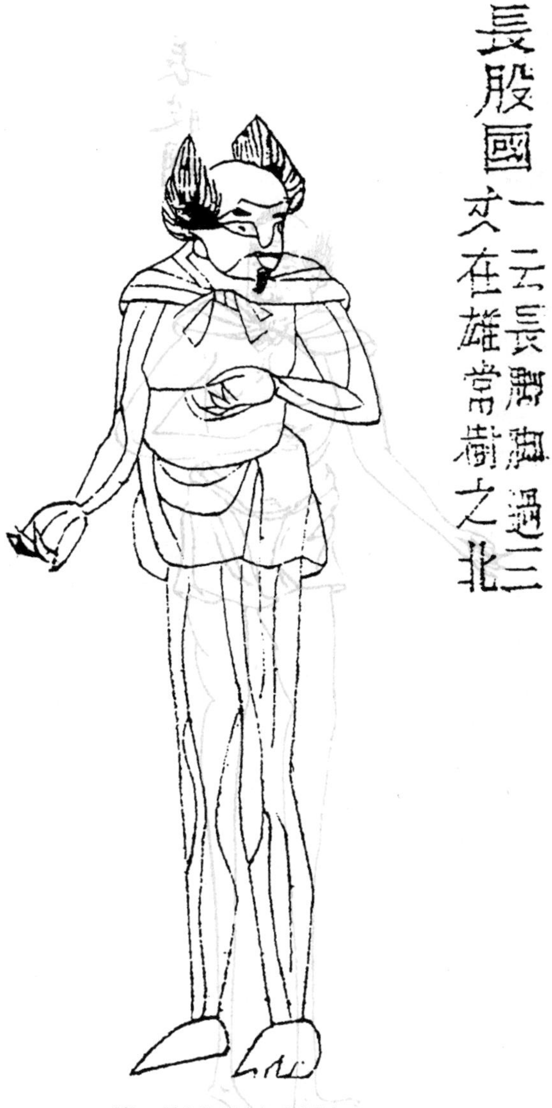

清・吴任臣近文堂图本

清·汪绂图本

蓐收

【经文】

《海外西经》：西方蓐收，左耳有蛇，乘两龙。

明·蒋应镐绘图本

清·四川成或因绘图本

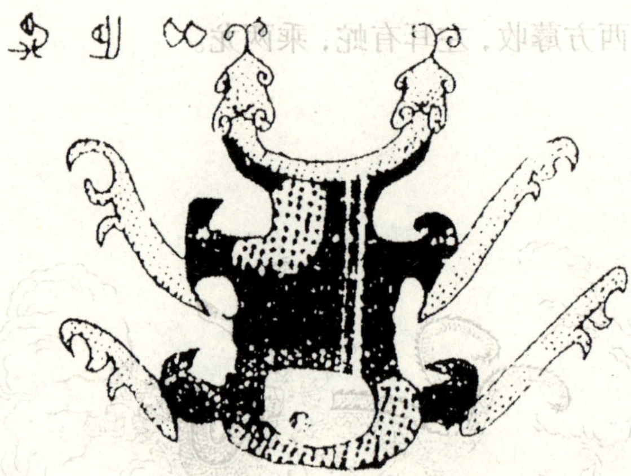

司秋之神蓐收　楚帛书十二月神图

清·萧云从《天问图》

清·吴任臣近文堂图本

清·汪绂图本

明·胡文焕图本

第八卷　海外北经

无启国

【经文】

《海外北经》：无启之国在长股东，为人无膂。

清·吴任臣近文堂图本

清·汪绂图本

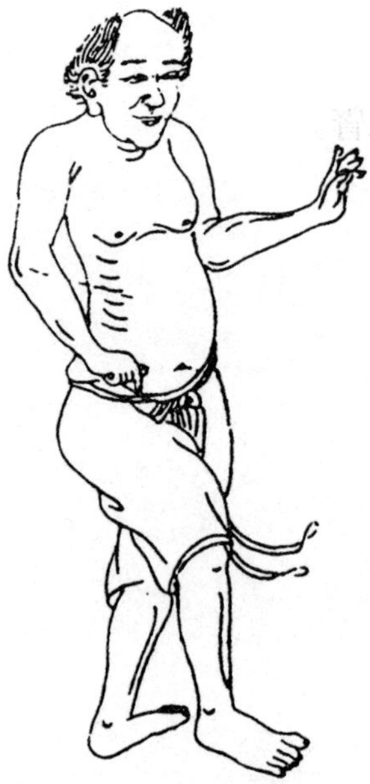

清《边裔典》

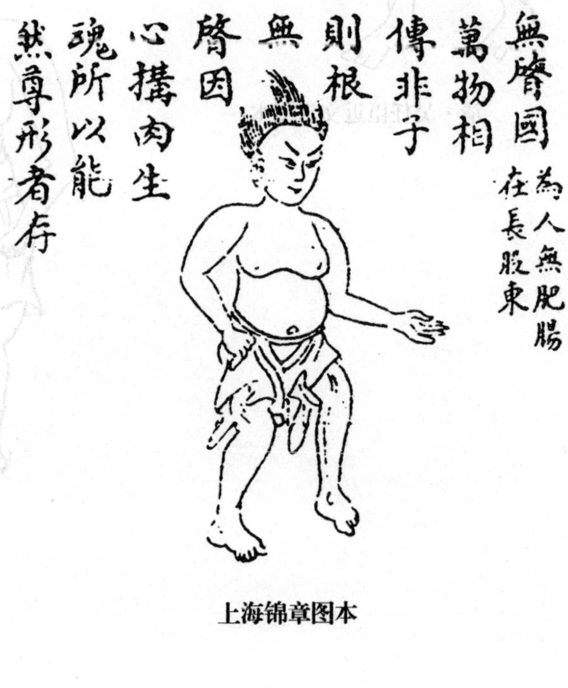

上海锦章图本

烛阴

【经文】

《海外北经》：钟山之神，名曰烛阴，视为昼，瞑为夜，吹为冬，呼为夏。不饮，不食，不息；息为风。身长千里。在无启之东。其为物，人面，蛇身，赤色，居钟山下。

日本图本

明·胡文焕图本

清·萧云从《天问图》

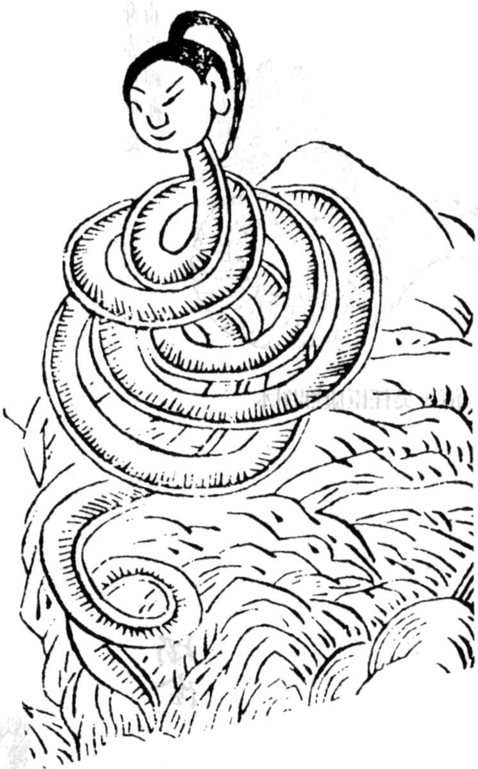

清・四川成或因绘图本

清・吴任臣康熙图本

清・汪绂图本

一目国

【经文】

《海外北经》：一目国在其东，一目中其面而居。

明·蒋应镐绘图本

清·四川成或因绘图本

清·吴任臣康熙图本

清·汪绂图本

清《边裔典》

柔利国

【经文】

《海外北经》：柔利国在一目东，为人一手一足，反膝，曲足居上。一云留利之国，人足反折。

明·蒋应镐绘图本

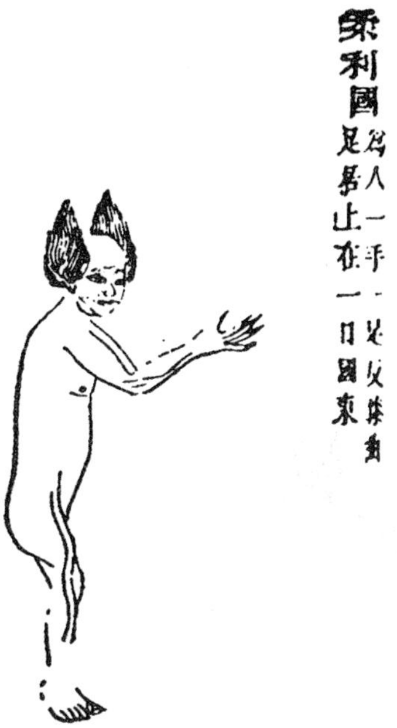

清·吴任臣康熙图本

清·四川成或因绘图本

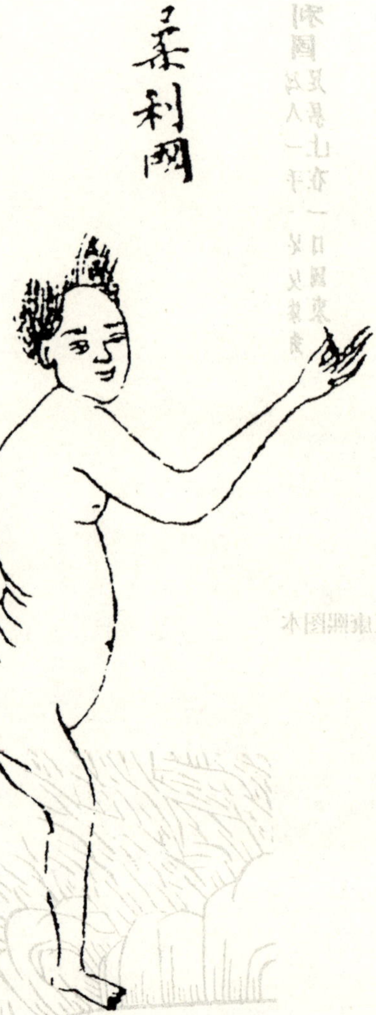

清·汪绂图本

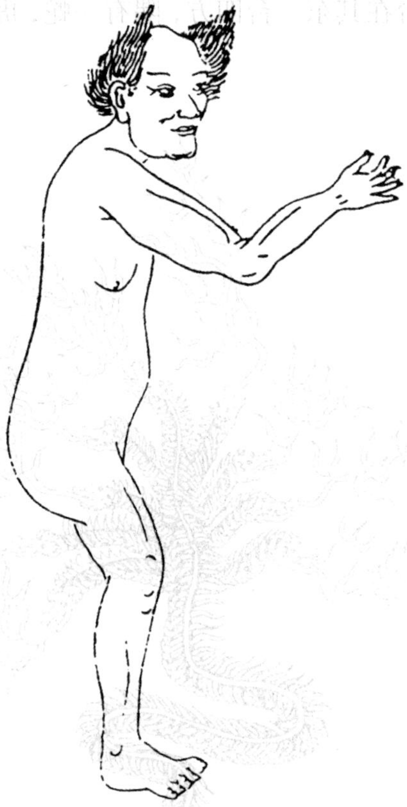

清《边裔典》

相柳

【经文】

《海外北经》：共工之臣曰相柳氏，九首，以食于九山。相柳之所抵，厥为泽溪。禹杀相柳，其血腥，不可以树五谷种。禹厥之，三仞三沮，乃以为众帝之台。在昆仑之北，柔利之东。相柳者，九首人面，蛇身而青。不敢北射，畏共工之台。台在其东。台四方，隅有一蛇，虎色，首冲南方。

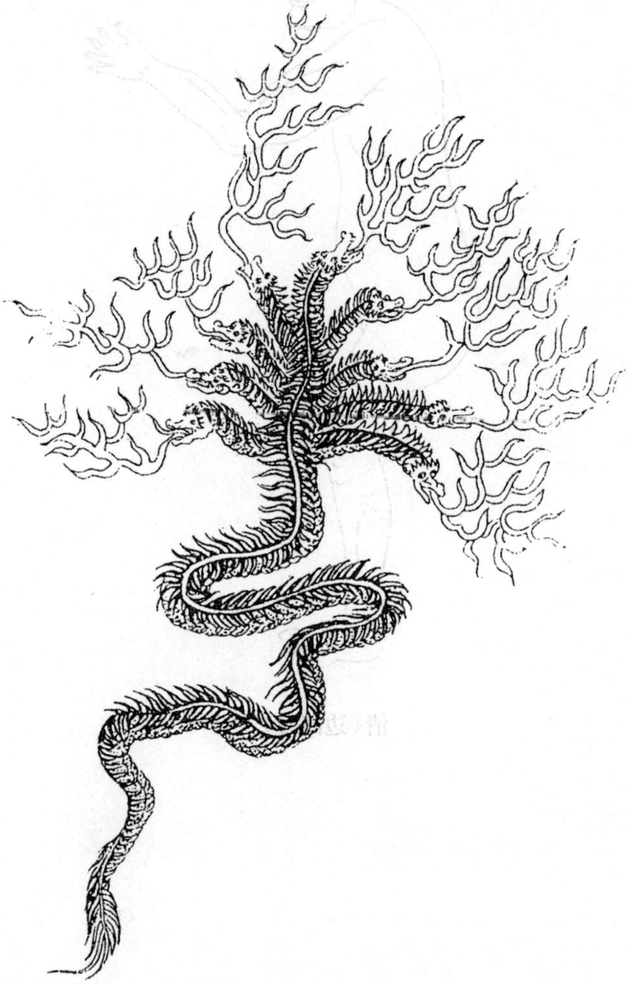

清·萧云从《天问图》

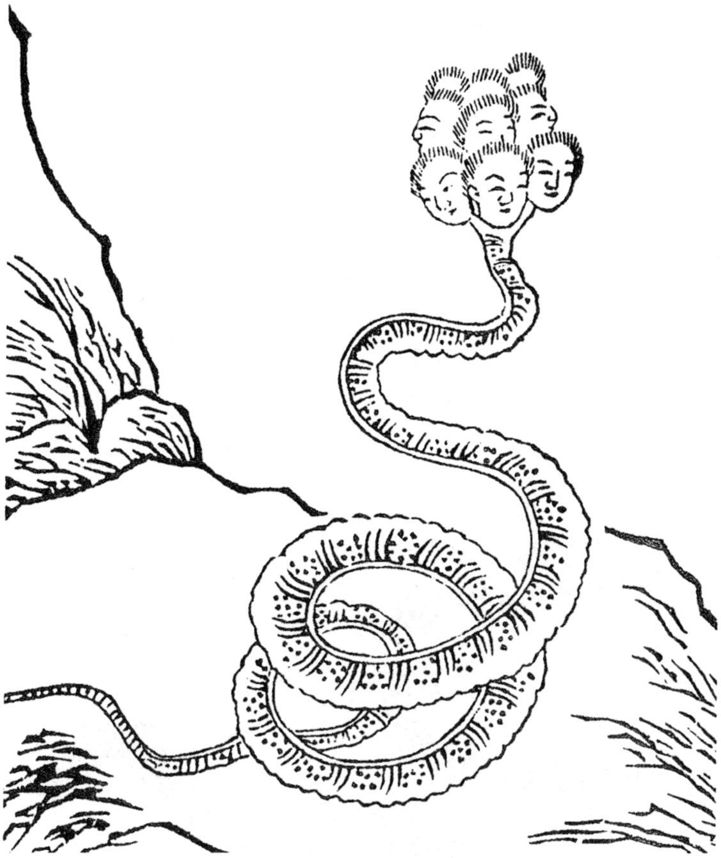

明·蒋应镐绘图本

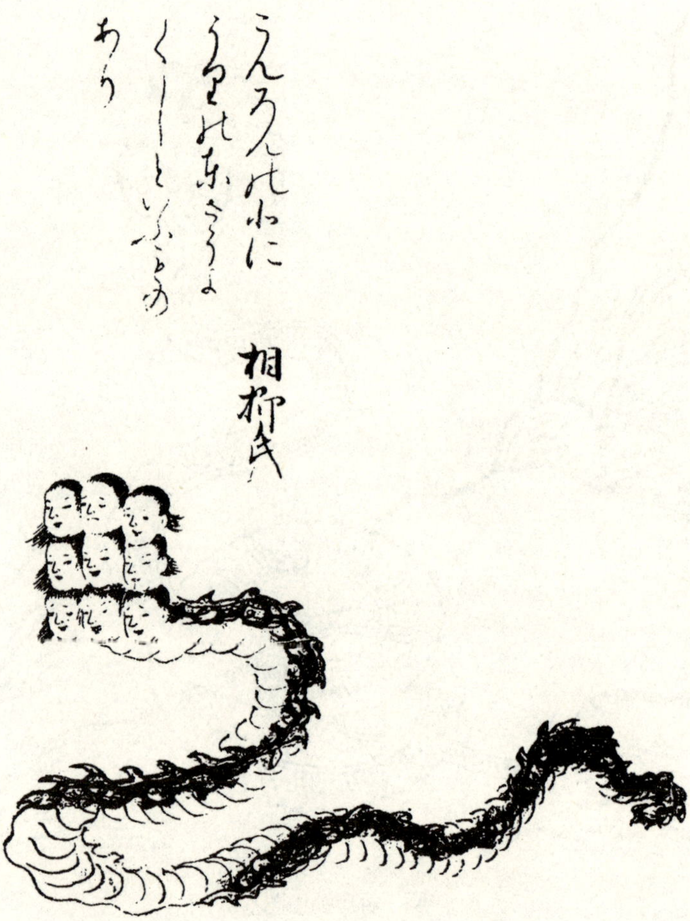

日本图本

相柳氏

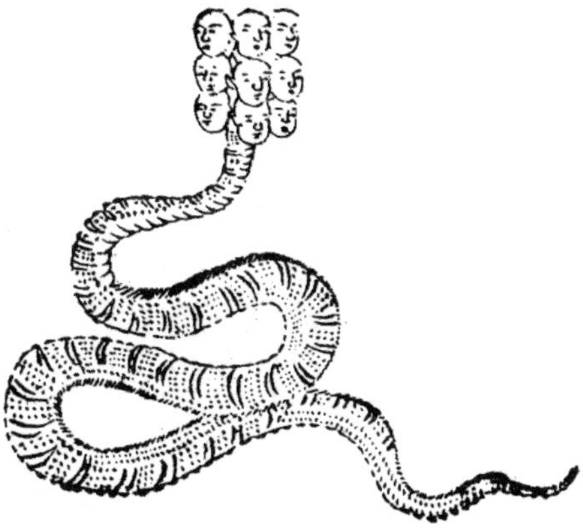

明・胡文焕图本

清・四川成或因绘图本

清・毕沅图本

清・汪绂图本

深目国

【经文】

《海外北经》：深目国在其东，为人深目，举一手。一曰在共工台东。

明·蒋应镐绘图本

清·四川成或因绘图本

深目國

清《边裔典》

无肠国

【经文】

《海外北经》：无肠之国在深目东，其为人长而无肠。

清《边裔典》

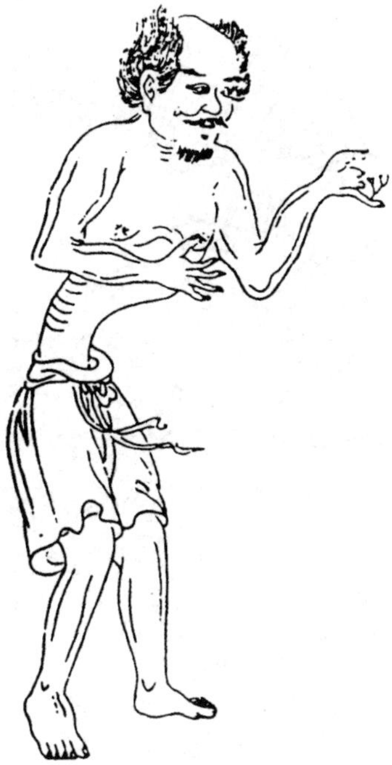

清《边裔典》

聂耳国

【经文】

《海外北经》：聂耳之国在无肠国东，使两文虎，为人两手聂其耳。县（悬）居海水中，及水所出入奇物。两虎在其东。

明 · 蒋应镐绘图本

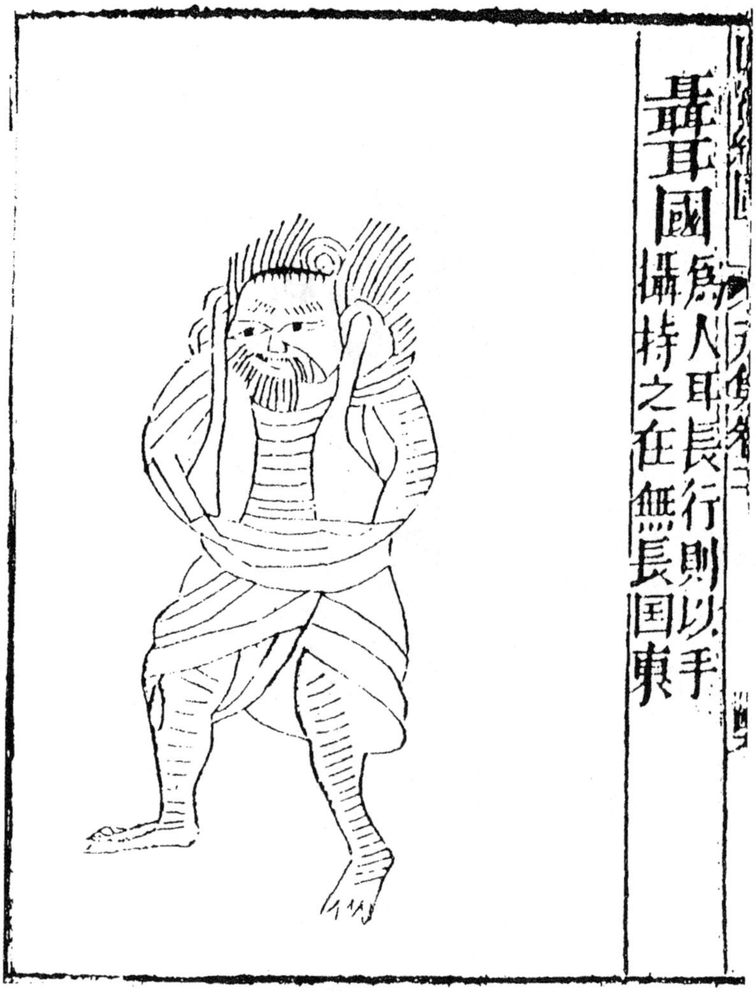

清・吴任臣近文堂图本

清·汪绂图本

清《边裔典》

夸父逐日

【经文】

《海外北经》：夸父与日逐走，入日。渴欲得饮，饮于河渭；河渭不足，北饮大泽。未至，道渴而死。弃其杖，化为邓林。

明 · 蒋应镐绘图本

清·四川成或因绘图本

夸父国

【经文】

《海外北经》：夸父国在聂耳东，其为人大，右手操青蛇，左手操黄蛇。邓林在其东，二树木。一曰博父。

明·蒋应镐绘图本

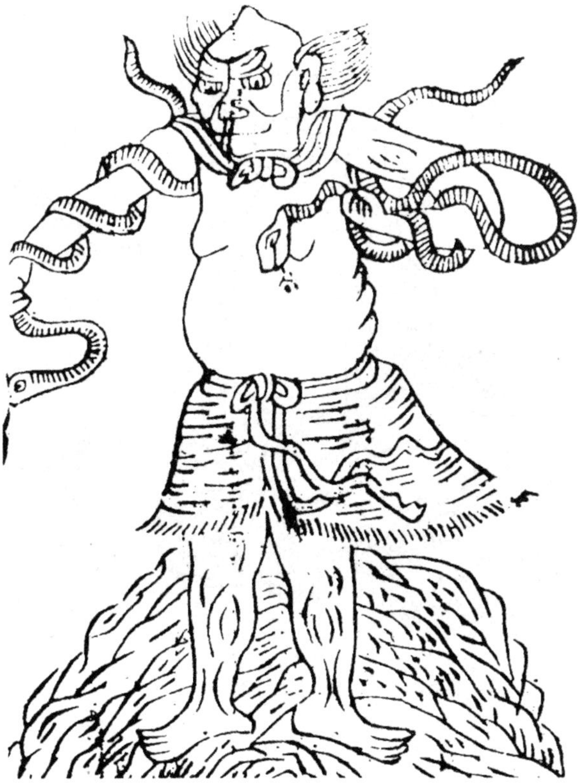

清·四川成或因绘图本

清《边裔典》

拘瘿国

【经文】

《海外北经》：拘瘿之国在其东，一手把缨。一曰利缨之国。

清《边裔典》

跂踵国

【经文】

《海外北经》：跂踵国在拘瘿东，其为人大，两足亦大，一曰大踵［袁珂据郝懿行校改为：两足皆支。一曰反踵］。

清·四川成或因绘图本

明·蒋应镐绘图本

清·汪绂图本

欧丝国

【经文】

《海外北经》：欧丝之野在反踵东，一女子跪据树欧丝。

清·四川成或因绘图本

清《边裔典》

騊駼

【经文】

《海外北经》：北海内有兽，其状如马，名曰騊駼。

明·蒋应镐绘图本

清·四川成或因绘图本

罗罗

【经文】

《海外北经》：北海内有青兽焉，状如虎，名曰罗罗。

明・蒋应镐绘图本

清·四川成或因绘图本

清《禽虫典》

禺彊

【经文】

《海外北经》：北方禺彊，人面鸟身，珥两青蛇，践两青蛇。

鸟鱼合体兼具巫师职能之海神禺彊
湖北曾侯乙战国墓墓主内棺东侧壁板花纹

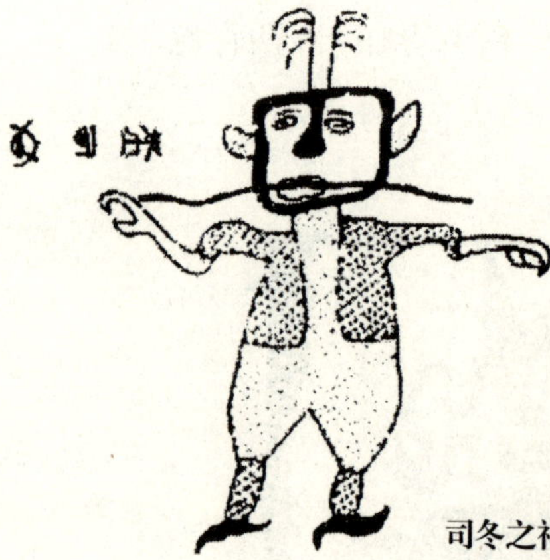

司冬之神玄冥　楚帛书十二月神图

清《神异典》

海神玄冥与风神伯强
①海神玄冥　清·萧云从《离骚图·远游》

海神玄冥与风神伯强
①风神伯强　清·萧云从《天问图》

明·蒋应镐绘图本

清・四川成或因绘图本

清・汪绂图本

第九卷　海外东经

大人国

【经文】

《海外东经》：海外自东南陬至东北陬者。大人国在其北，为人大，坐而削船。一曰在䃌丘北。

清《边裔典》

清·汪绂图本

明·蒋应镐绘图本《大荒东经》图

奢比尸

【经文】

《海外东经》：奢比之尸在其北，兽身、人面、大耳，珥两青蛇。一曰肝榆之尸。在大人北。

明初《永乐大典》卷九一〇

明·蒋应镐绘图本

明·蒋应镐绘图本《大荒东经》图

奢尸

明·胡文焕图本

日本图本

清·吴任臣近文堂图本

清·汪绂图本

君子国

【经文】

《海外东经》：君子国在其北，衣冠带剑，食兽，使二文虎在旁，其人好让不争。有薰华草，朝生夕死。一曰在肝榆之尸北。

清·四川成或因绘图本

清·汪绂图本

清《边裔典》

天吴

【经文】

《海外东经》：重重在其北，各有两首，一曰在君子国北。朝阳之谷，神曰天吴，是为水伯。在重重北两水间。其为兽也，八首人面，八足八尾，背（原作‘皆’，袁珂从何焯等校改）青黄。

人面八首虎身神　山东武氏祠汉画像石

明·蒋应镐绘图本

明·胡文焕图本

清·吴任臣近文堂图本

清·汪绂图本

清·四川成或因绘图本

黑齿国

【经文】

《海外东经》：黑齿国在其北，为人黑齿（原无齿字，袁珂从郝懿行校改），食稻啖蛇，一赤一青，在其旁。一曰：在竖亥北，为人黑首，食稻使蛇，其一蛇赤。

清·汪绂图本

雨师妾

【经文】

《海外东经》：雨师妾在其北，其为人黑，两手各操一蛇，左耳有青蛇，右耳有赤蛇。一曰在十日北，为人黑身人面，各操一龟。

明·胡文焕图本

清《禽虫典》

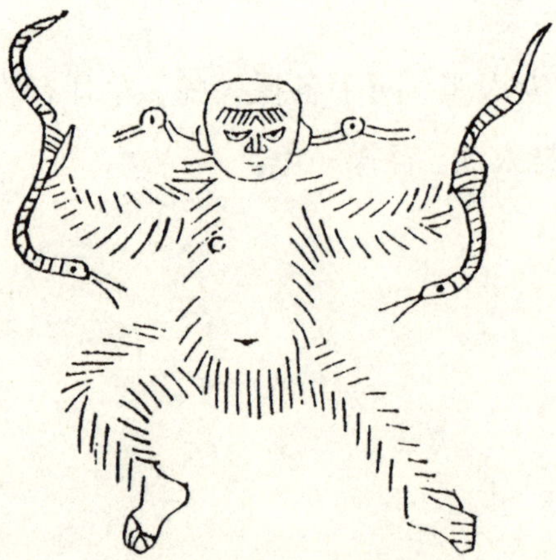

清·吴任臣近文堂图本

清·汪绂图本

玄股国

【经文】

《海外东经》：玄股之国在其北，其为人股黑（原无‘股黑’二字，袁珂据高诱注《淮南子·地形》引补），衣鱼食鴎。使两鸟夹之。一曰在雨师妾北。

清·汪绂图本

清《边裔典》

毛民国

【经文】

《海外东经》：毛民之国在其北，为人身生毛。一曰在玄股北。

明·蒋应镐绘图本《大荒北经》图

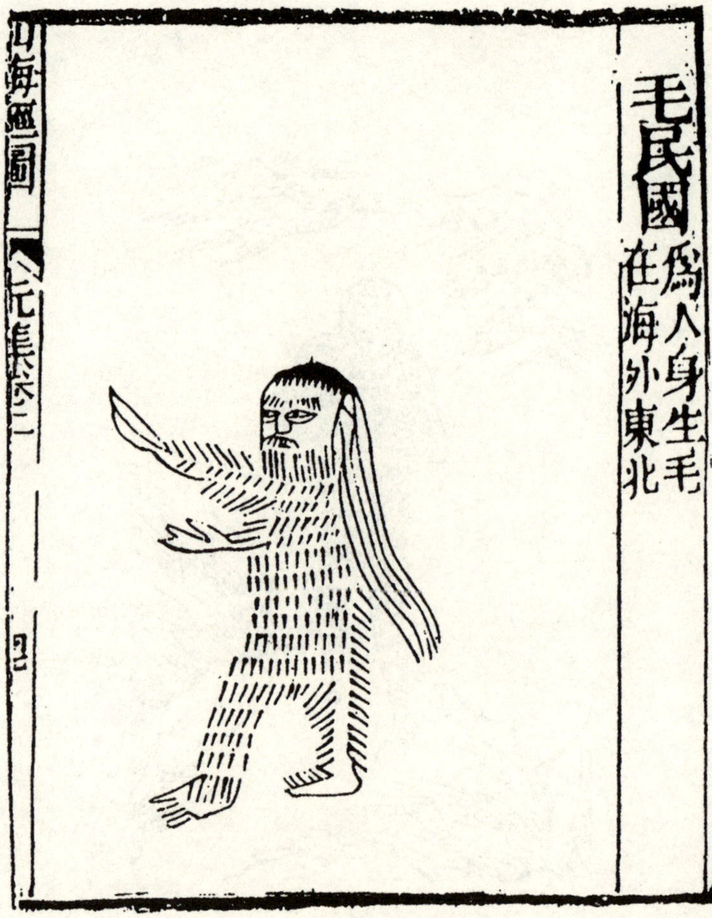

清・吴任臣近文堂图本

清·四川成或因绘图本

清·汪绂图本

上海锦章图本

清《边裔典》

劳民国

【经文】

《海外东经》：劳民国在其北，其为人黑。或曰教民。一曰在毛民北，为人面目手足尽黑。

明·蒋应镐绘图本

清《边裔典》

句芒

【经文】

《海外东经》：东方句芒，鸟身人面，乘两龙。

清·四川成或因绘图本

明·蒋应镐绘图本

司春之神句芒　楚帛书十二月神图

清·汪绂图本

第十卷　海内南经

枭阳国

【经文】

《海内南经》：枭阳国在北朐之西，其为人（郭注《尔雅》狒狒引此经作“其状如人”），人面长唇，黑身有毛，反踵，见人则笑（原作“见人笑亦笑”，袁珂从郝懿行校改）。左手操管。

明·蒋应镐绘图本

明·胡文焕图本

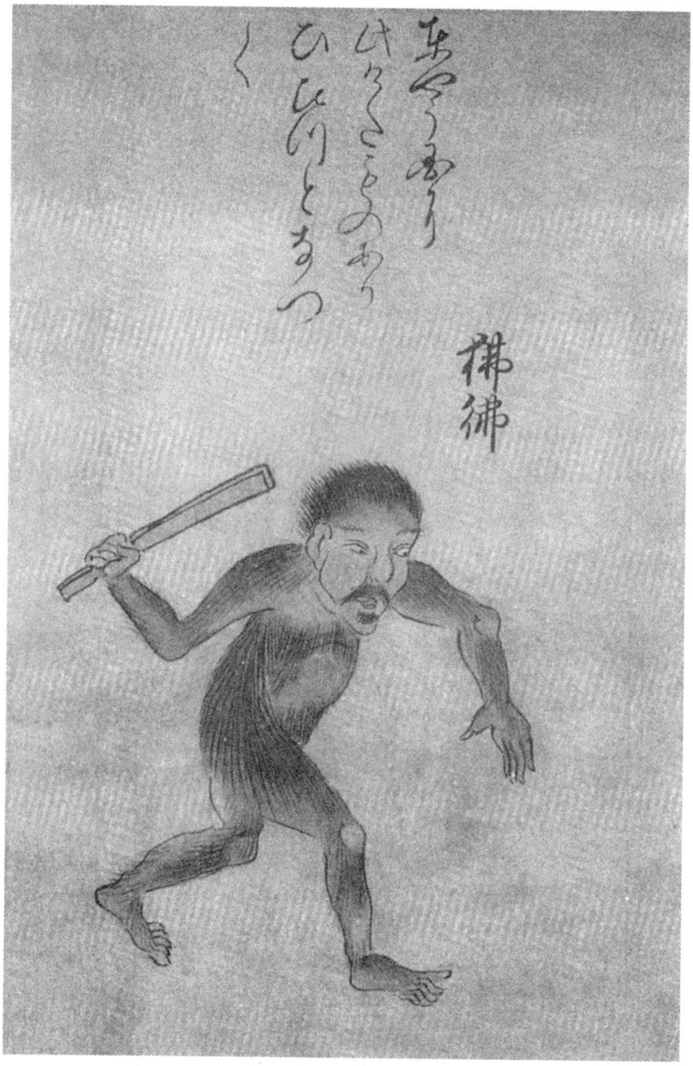

日本图本

清《边裔典》

清·吴任臣近文堂图本

清・汪绂图本

清·四川成或因绘图本

窫窳

【经文】

《海内南经》：窫窳龙首，居弱水中，在狌狌之西，其状如貙，龙首，食人。

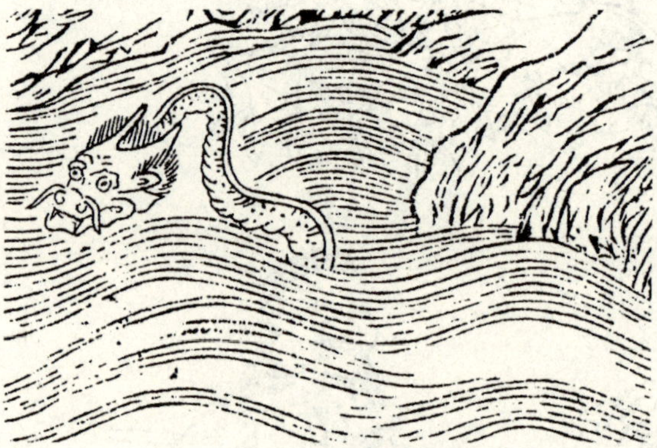

明·蒋应镐绘图本

清·四川成或因绘图本

氐人国

【经文】

《海内南经》：氐人国在建木西。其为人人面而鱼身，无足。

明·蒋应镐绘图本

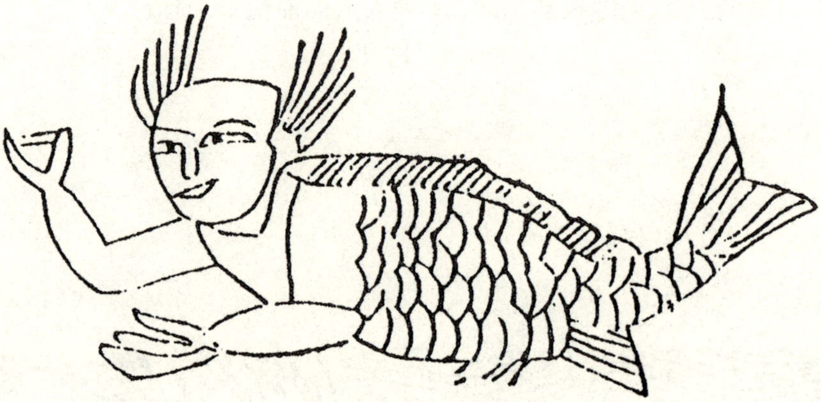

清 · 吴任臣近文堂图本

清 · 四川成或因绘图本

清·汪绂图本

清《边裔典》

巴蛇

【经文】

《海内南经》: 巴蛇食象，三岁而出其骨，君子服之，无心腹之疾。其为蛇青黄赤黑。一曰黑蛇青首，在犀牛西。

清 · 萧云从《离骚图 · 天问》

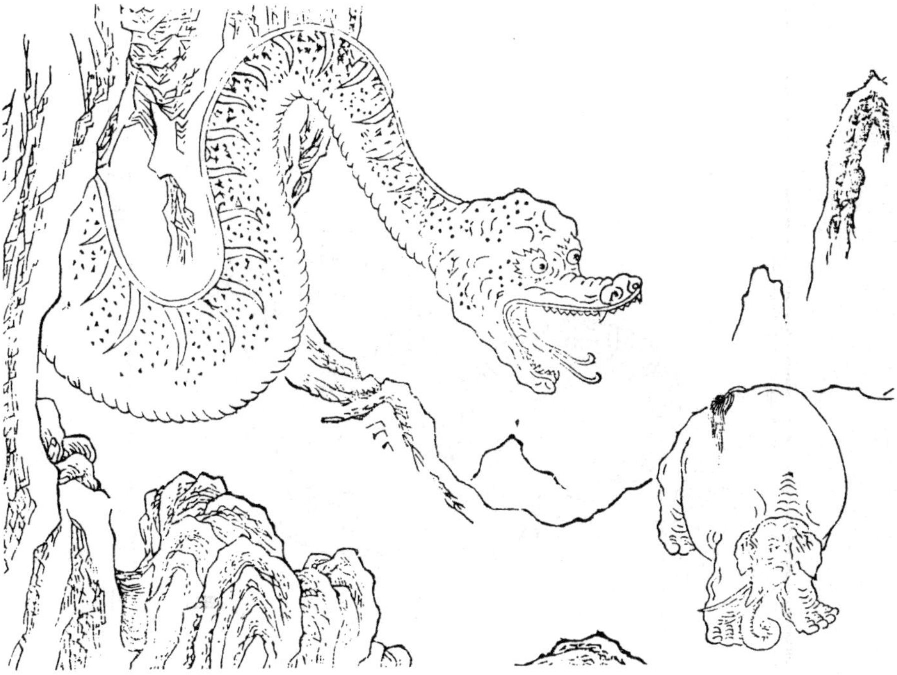

明·蒋应镐绘图本

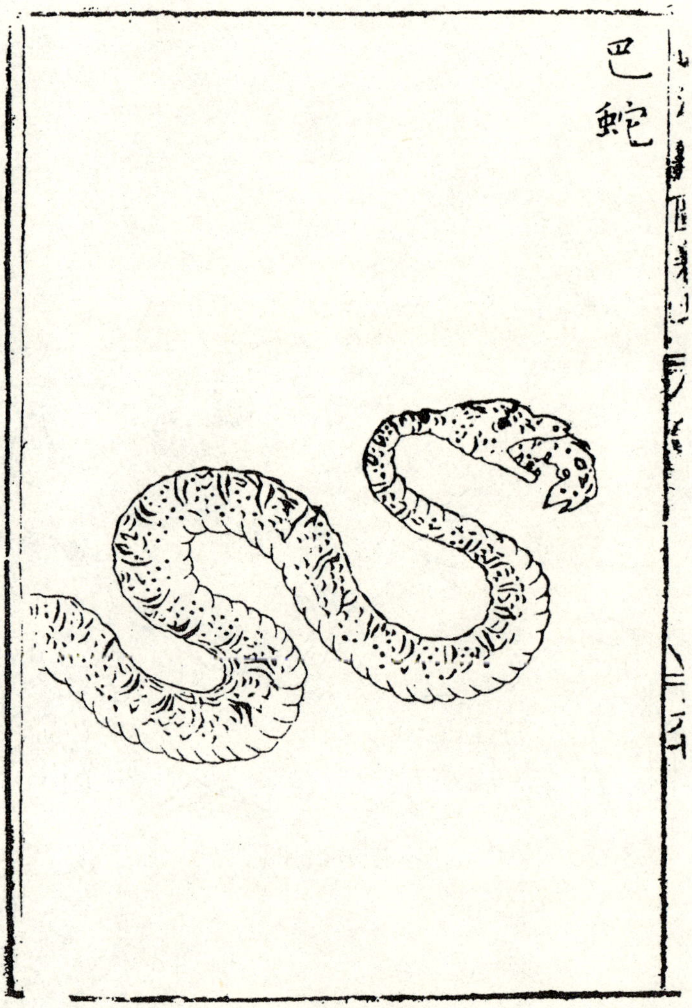

明·胡文焕图本

清 · 汪绂图本

清《禽虫典》

旄马

【经文】

《海内南经》：旄马，其状如马，四节有毛。在巴蛇西北，高山南。

明·胡文焕图本

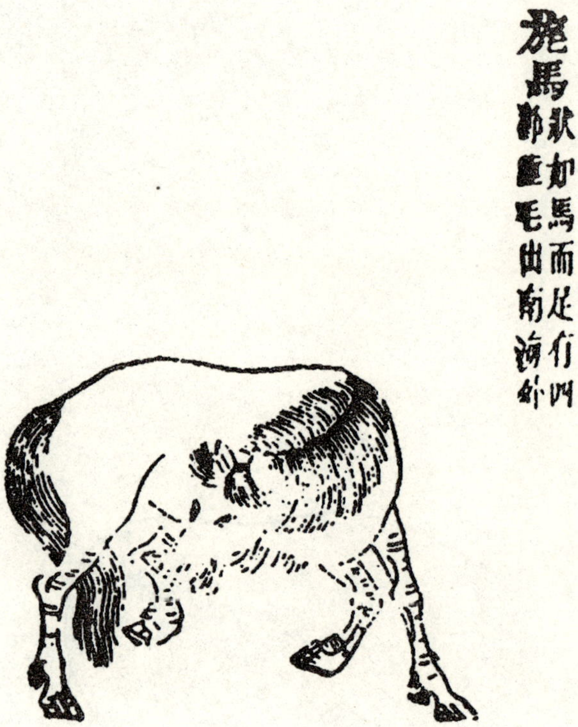

清・吴任臣康熙图本

清·汪绂图本

第十一卷　海内西经

贰负臣危

【经文】

《海内西经》：贰负之臣曰危，危与贰负杀窫窳。帝乃梏之疏属之山，桎其右足，反缚两手（原‘两手’下有‘与发’二字，袁珂从刘秀《上山海经表》引删），系之山上木。在开题西北。

明·蒋应镐绘图本

清《神异典》

清·四川成或因绘图本

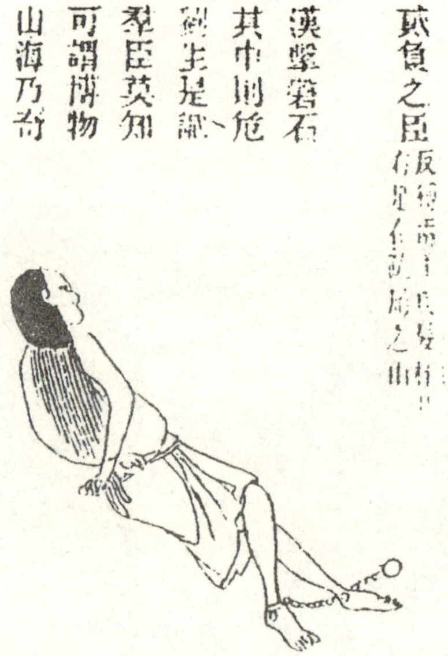

清·郝懿行图本

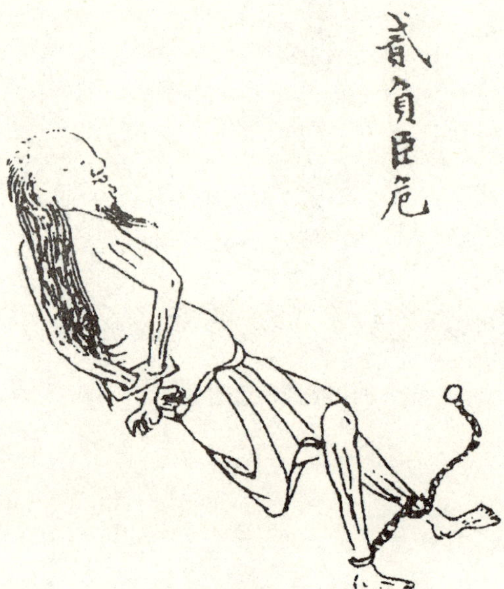

清·汪绂图本

开明兽

【经文】

《海内西经》：海内昆仑之虚，在西北，帝之下都。昆仑之虚，方八百里，高万仞。上有木禾，长五寻，大五围。面（上）有九井，以玉为槛。面有九门，门有开明兽守之，百神之所在。在八隅之岩，赤水之际，非仁羿莫能上冈之岩，昆仑南渊深三百仞。开明兽身大类虎而九首，皆人面，东响立昆仑上。

人面九头兽

①山东济宁县城南张汉画像石

②山东嘉祥县花林汉画像石

清·四川成或因绘图本

明·蒋应镐绘图本

清·汪绂图本

清《禽虫典》

凤皇

【经文】

《海内西经》：开明北有凤皇，鸾鸟，皆戴瞂。

明·蒋应镐绘图本

清·四川成或因绘图本

窫窳

【经文】

《海内西经》：开明东有巫彭、巫抵、巫阳、巫履、巫凡、巫相，夹窫窳之尸，皆操不死之药以距之。窫窳者，蛇身人面，贰负臣所杀也。

明·蒋应镐绘图本

清《神异典》

清·汪绂图本

三头人

【经文】

《海内西经》：服常树，其上有三头人，伺琅玕树。

明·蒋应镐绘图本

清・四川成或因绘图本

树鸟

【经文】

《海内西经》：开明南有树鸟、六首蛟、蝮、蛇、蜼、豹……

明·蒋应镐绘图本

六首蛟

【经文】

《海内西经》：开明南有树鸟、六首蛟。

明·蒋应镐绘图本

清·四川成或因绘图本